U0112795

李洪义

当代书法名家◎中国书法家协会草书专业委员会专辑

海风出版社
HAIFENG PUBLISHING HOUSE

图书在版编目（CIP）数据

李洪义专辑/李洪义书.—福州:海风出版社，2008.11
（当代书法名家.中国书法家协会草书专业委员会专辑；12/胡国贤，李木教主编）
ISBN 978-7-80597-829-1

I.李… II.李… III.草书—书法—作品集—中国—现代 IV.J292.28

中国版本图书馆CIP数据核字（2008）第177067号

当　代　书　法　名　家
中国书法家协会草书专业委员会专辑
李洪义 专辑

策　　划：焦红辉
主　　编：胡国贤　李木教
责任编辑：叶家伧　王伊陆　吴德才
装帧设计：王伊陆
责任印制：傅　强　吴尚联

出版发行：海风出版社
(福州市鼓东路187号　邮编:350001)
出 版 人：焦红辉
印　　刷：福州青盟印刷有限公司
开　　本：889×1194毫米　1/16
印　　张：4印张
版　　次：2008年11月 第1版
印　　次：2009年3月 第1次印刷
书　　号：ISBN 978-7-80597-829-1/J · 177
定　　价：798.00元 (全套21册)

李洪义 别署洪一，江苏人，1961年生，中国书法家协会理事，中国书法家协会草书专业委员会委员，中国书协培训中心教授，东方印社副社长，宁夏书法家协会副主席兼秘书长，宁夏青年书法家协会主席。

篆刻部分

1986年 入展《世界和平年》书法篆刻作品展
1987年 获全国青少年首届银河大奖赛『三等奖』
1988年 获首届『华夏杯』全国书法篆刻大赛『二等奖』
1988年 入展《全国首届篆刻艺术大展》
1989年 入展《全国第四届书法篆刻作品展》
1989年 入展《首届国际青年书法展览》
1991年 入展《首次中·日书画公开征集展》
　　　 入展《全国第二届篆刻艺术展览》
1994年 入展《当代青年篆刻艺术展》
1998年 入展《西泠印社首届国际篆刻展》
2005年 获《全国第五届篆刻艺术展》铜奖
2006年 中国美术馆篆刻艺术邀请展
2007年 入展当代篆刻艺术大展
2008年 全国『60印象』篆刻家提名展

书法部分

1992年 入展《全国第五届书法篆刻作品展》
1995年《全国第六届中青年书法篆刻展》提名
2000年 入选《全国第八届中青年书法篆刻展》
2002年 入展《全国第四届楹联书法大展》
　　　 入展《第四届全国刻字艺术展》
2003年 获《全国第二届行草书大展》『二等奖』
2004年 获《首届全国大字书法作品展》『三等奖』
　　　 获『羲之杯』全国书法大奖赛『二等奖』
2007年 入展第二届中国书法兰亭奖艺术奖
2008年 入展首届中国书坛兰亭雅集双年展
　　　 入展第九届全国书法篆刻展览
2008年 入展全国千人千作书法展

担任全国第五届刻字艺术展、『纪念老子诞辰2587年』全国书法展、全国第二届草书展等全国展览评委。作品被中国美术馆、中南海及国内诸收藏机构收藏。2001年随中国青年书法家代表团访问韩国，2008年，在『中国书法环球行——走进非洲』活动中，作为中国书法家代表团成员访问非洲诸国。

序

两个多月前，经李木教委员搭桥，由海风出版社出版《当代书法名家》丛书，第一辑为中国书法家协会草书专业委员会专辑，每个委员一卷，既能反映每位书家个人的艺术风采，又能体现草书委员会的整体实力、整体风貌，还能彰显当代草书创作的一些境况和情势，一举多得，令人兴奋。

草书专业委员会成立于2006年，是中国书法家协会下设的几个专业委员会之一，职责是专事草书方面的研究、创作等。共有委员二十一人（原二十二人，副主任周永健先生今年五月因病故去）。年龄最大者六十几岁，最小者三十几岁，都是活跃在当今书坛的实力派书家。

这二十位书家，每个人都在草书上卓有建树，功力既深，格调亦高，个性风格鲜明而强烈。他们都以传统为师，在传统中孜孜以求，精益求精。并在此基础上，广涉博取，锐意开拓，大胆突破，开辟新境界。因而他们的作品无论气象还是内涵上，都很耐人寻味，颇富艺术感染力。

海风出版社将这么多书家和他们的作品结集出版，诚是一着高棋，定会令人一饱眼福，并从中获得一些有益的启示。

本人作为草书委员会的一员，能和诸书友一道共同参与这个盛事，深感荣幸。借本书出版之际，谨向海风出版社表示诚挚的谢意。希望本书能受到欢迎。也诚望能得到批评指正，以期有更大的长进，不辜负书友和同道们的厚望。

聂成文

二〇〇八年八月八日

目录

作品

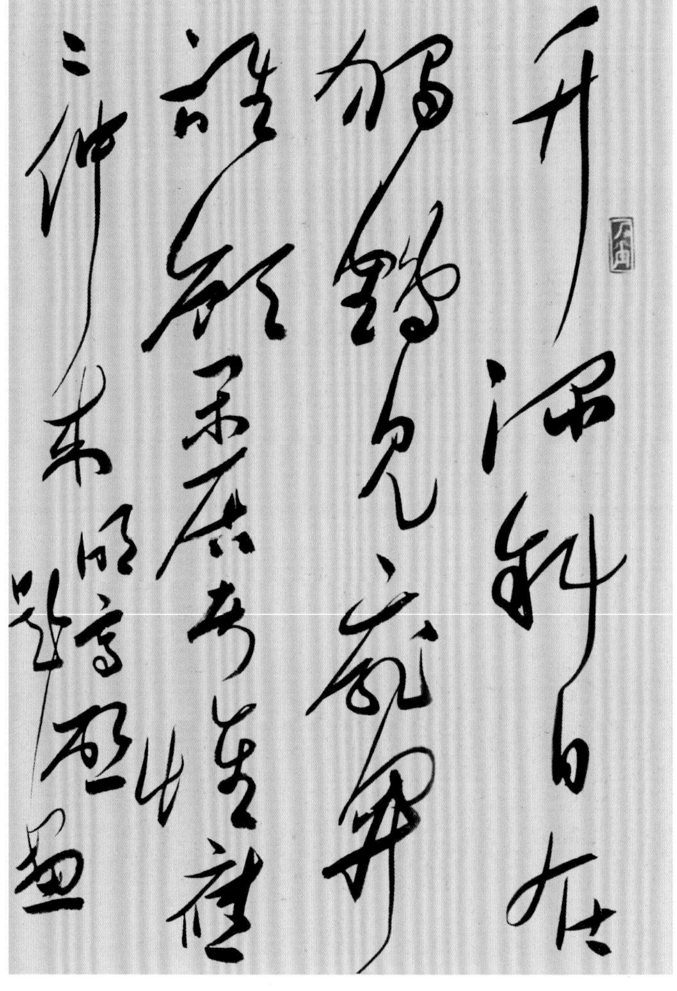

竹深斜日在，独鹤见扉开。
谁顾闲居者，惟应二仲来。

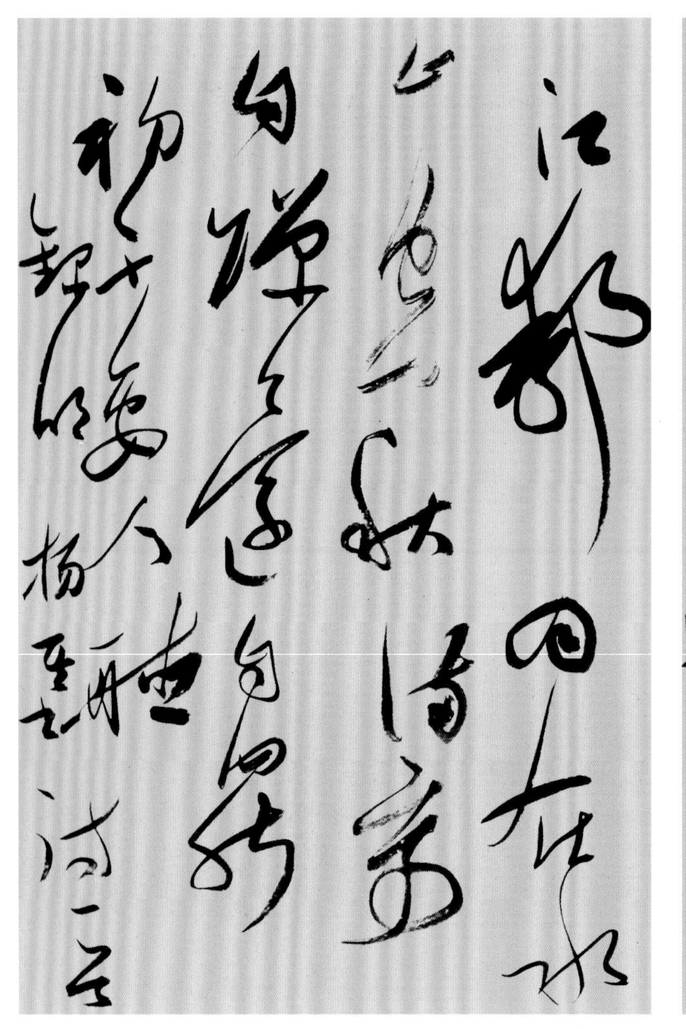

江静月在水，山空秋满亭。
自弹还自罢，初不要人听。

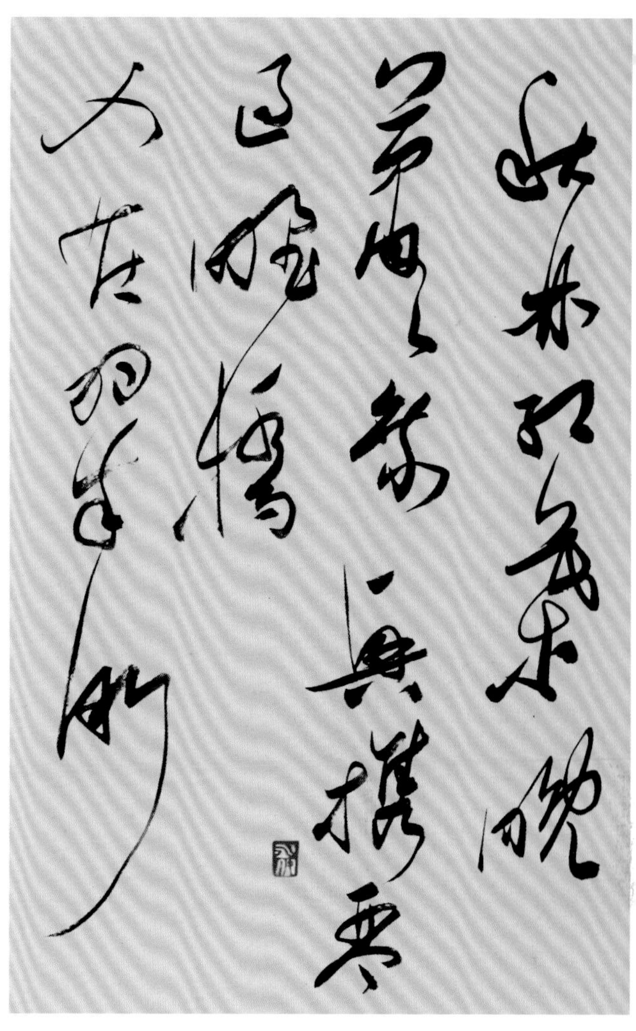

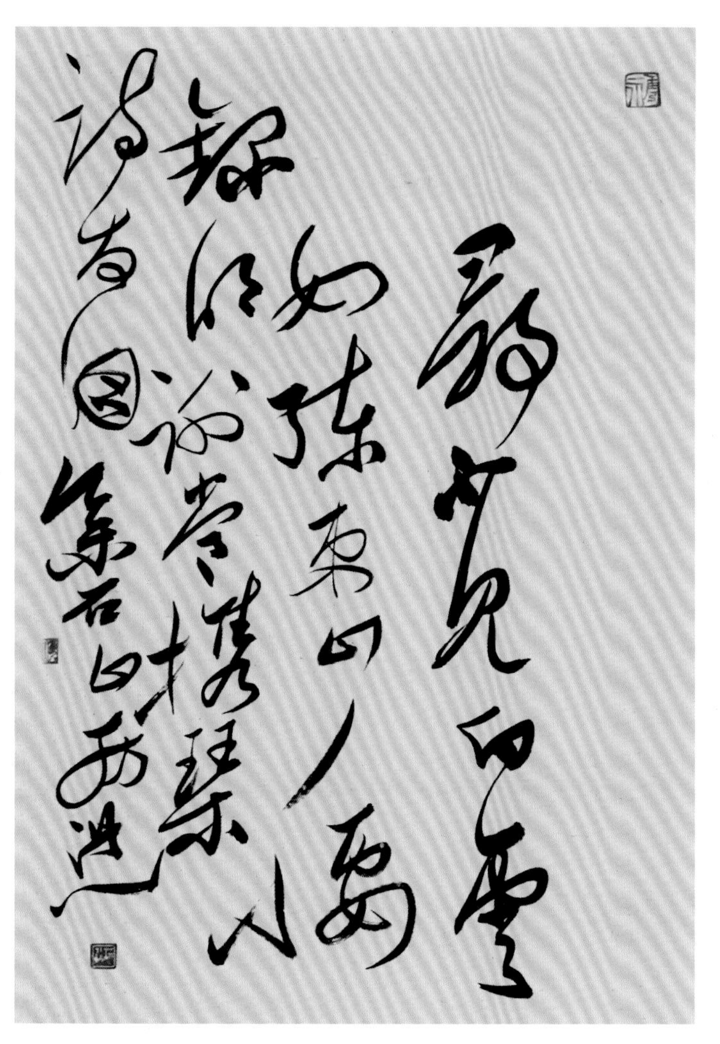

秋林红叶晚萧萧，乘兴携琴过野桥。
人在翠微寻不见，白云如练束山腰。

木落霜气清，秋山净如洗。天空万籁寂，地迥孤云起。深溪湛寒绿，对此清心耳。安得排苍苔，横（琴）写流水。

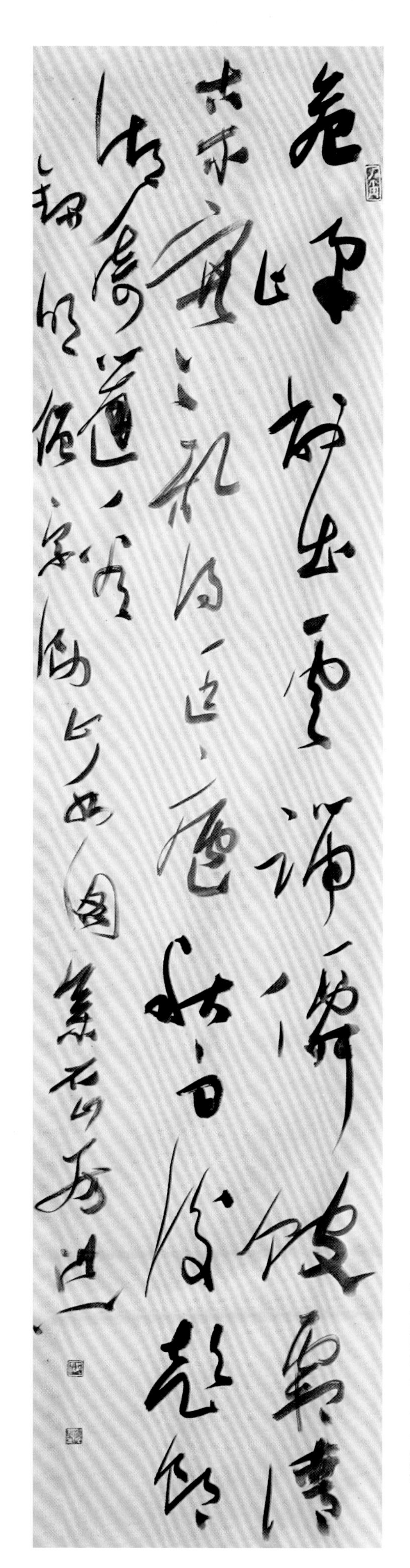

危峰削（玉）出云端，仙馆霜清古木寒。记得匡庐秋雨后，彭郎湖（口）倚篷看。

篆书节临毛公鼎铭文

过雨看花气
临风听鸟声

风来书幌动
花落墨池香

临·董其昌、 杜工部诗数首

三泉修竹翠
九曲望梅香

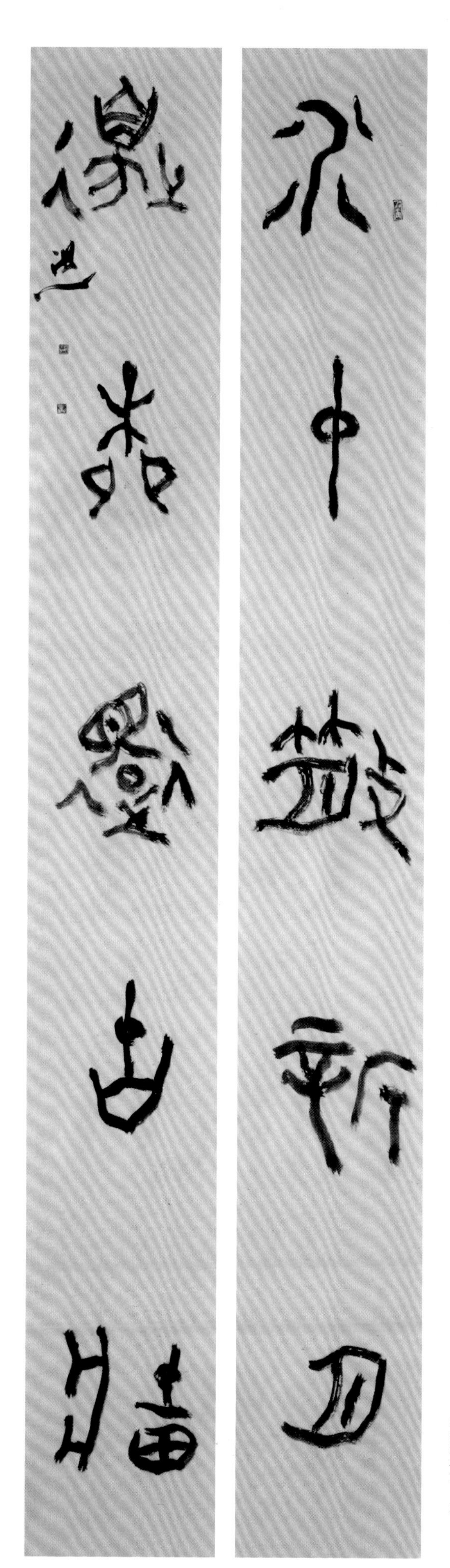

水中散新月
边柳环古墙

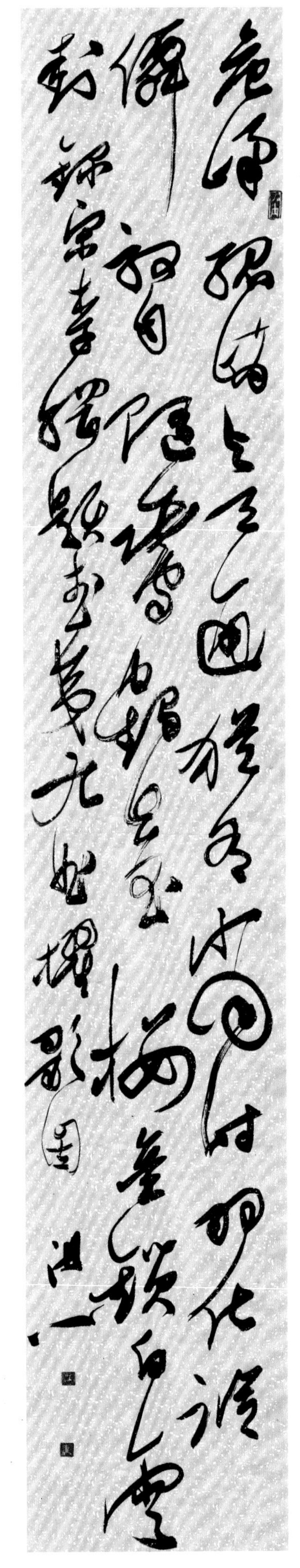

危峰孤峭与天通，犹有当时羽化踪。
仙驭自随鸾鹤去，玉楼金琐白云封。

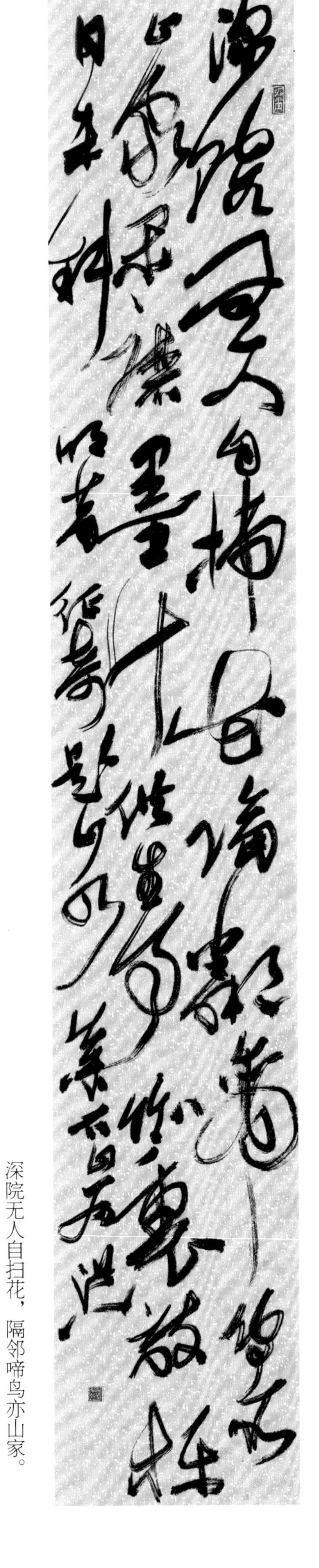

深院无人自扫花，隔邻啼鸟亦山家。
闲磨墨汁供生事，竹里敲枨日未斜。

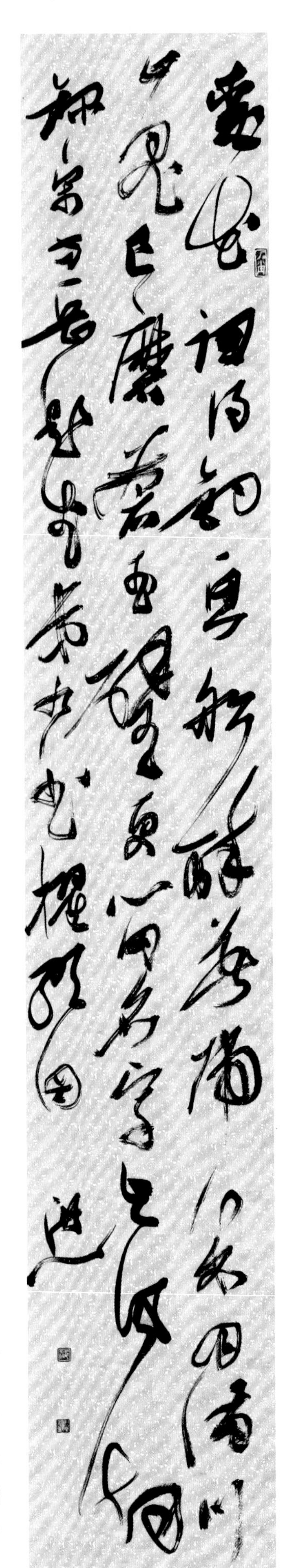

桃花认得钓鱼船，醉著归来月满川。
山鬼已磨苍玉壁，更留名字与风烟。

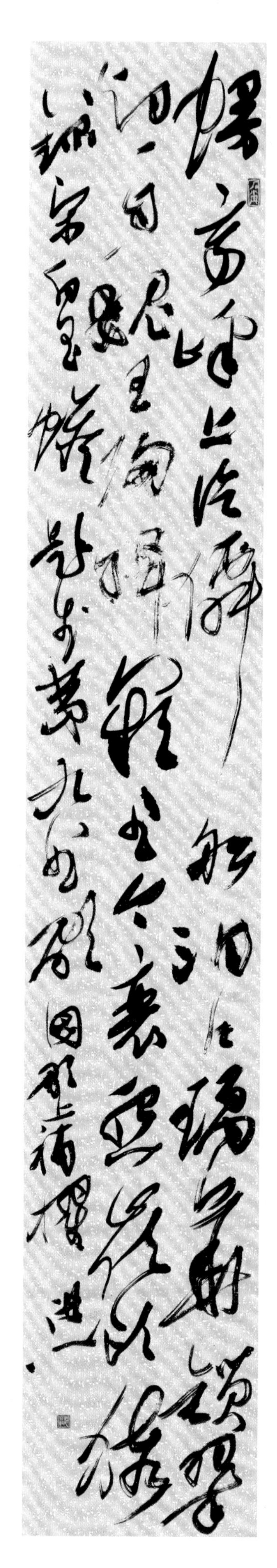

幔亭峰下泛仙船，洞口璠华锁翠烟。
一自魏王归绛阙，至今哀怨岭头猿。

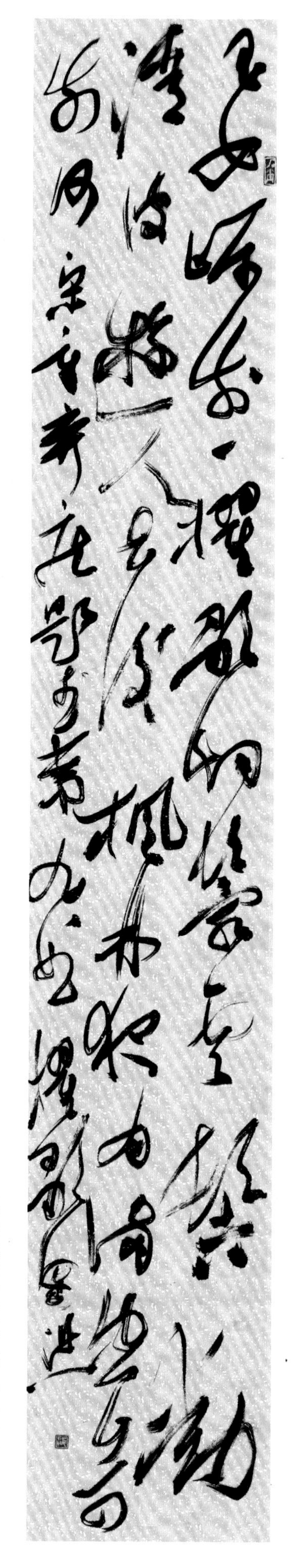

玉女峰前一棹歌，烟鬟云髻动清波。
游人去后枫林夜，月满空山可奈何。

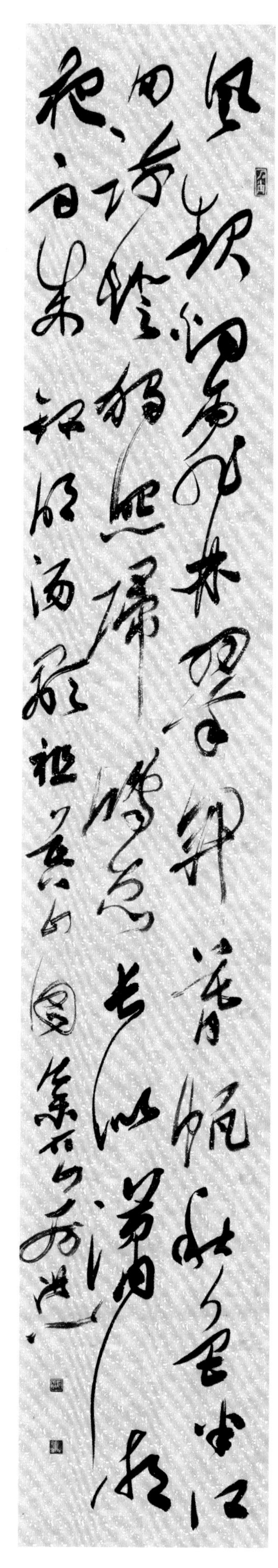

风起烟霏林翠开，暮帆秋色半江回。
疏灯独照归鸿急，长似潇湘夜雨来。

临·陈道复 草书诗卷

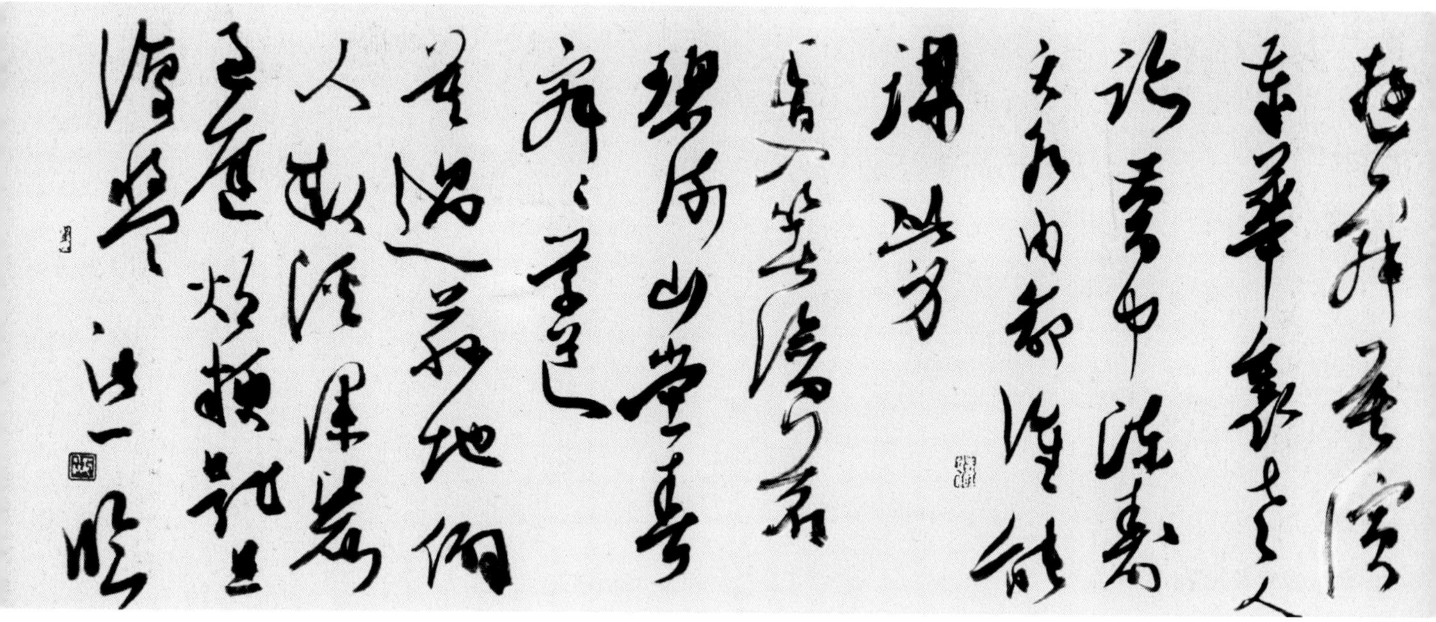

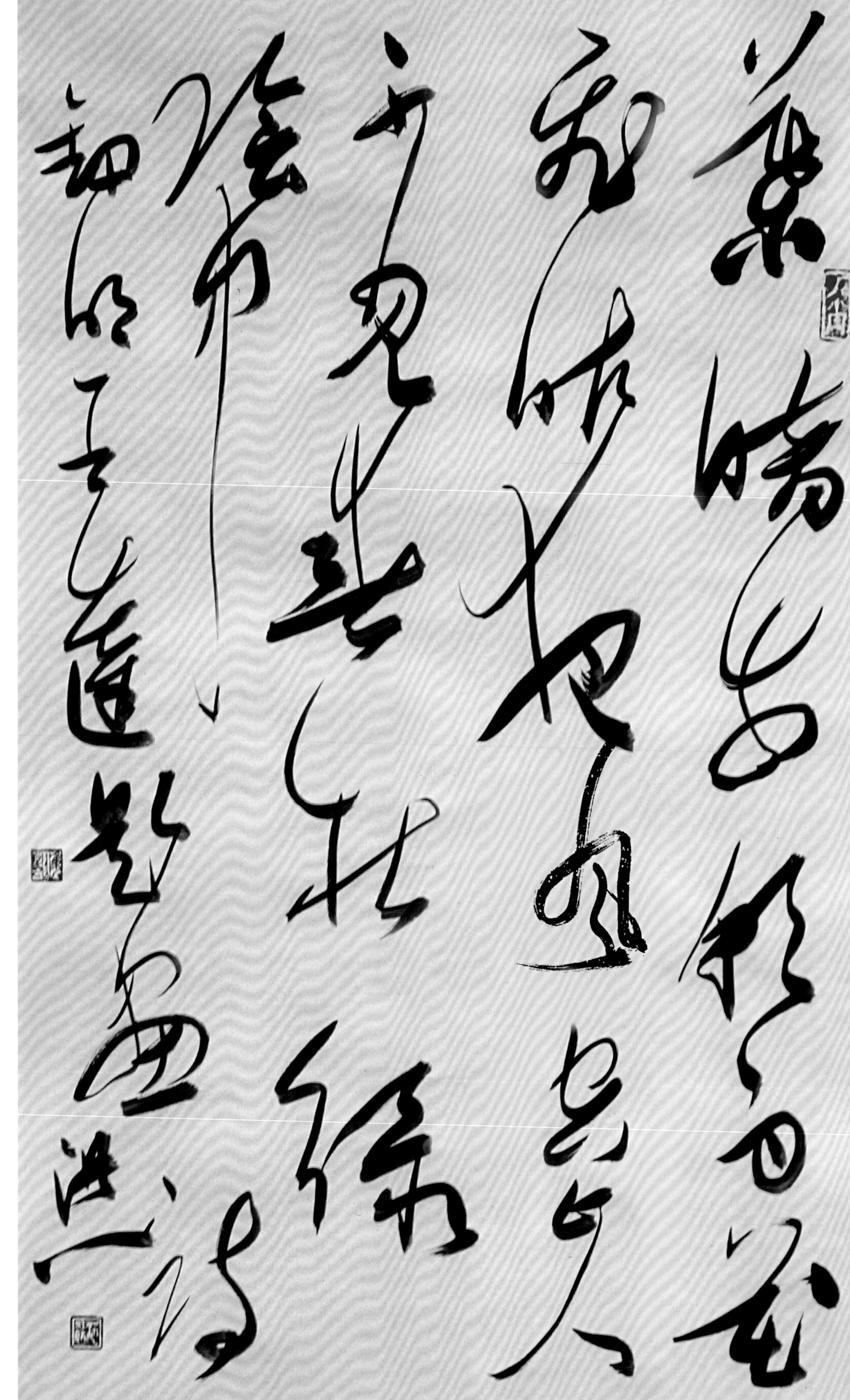

叶暗前朝雨，花飞昨夜风。
空山人不见，春在绿阴中。

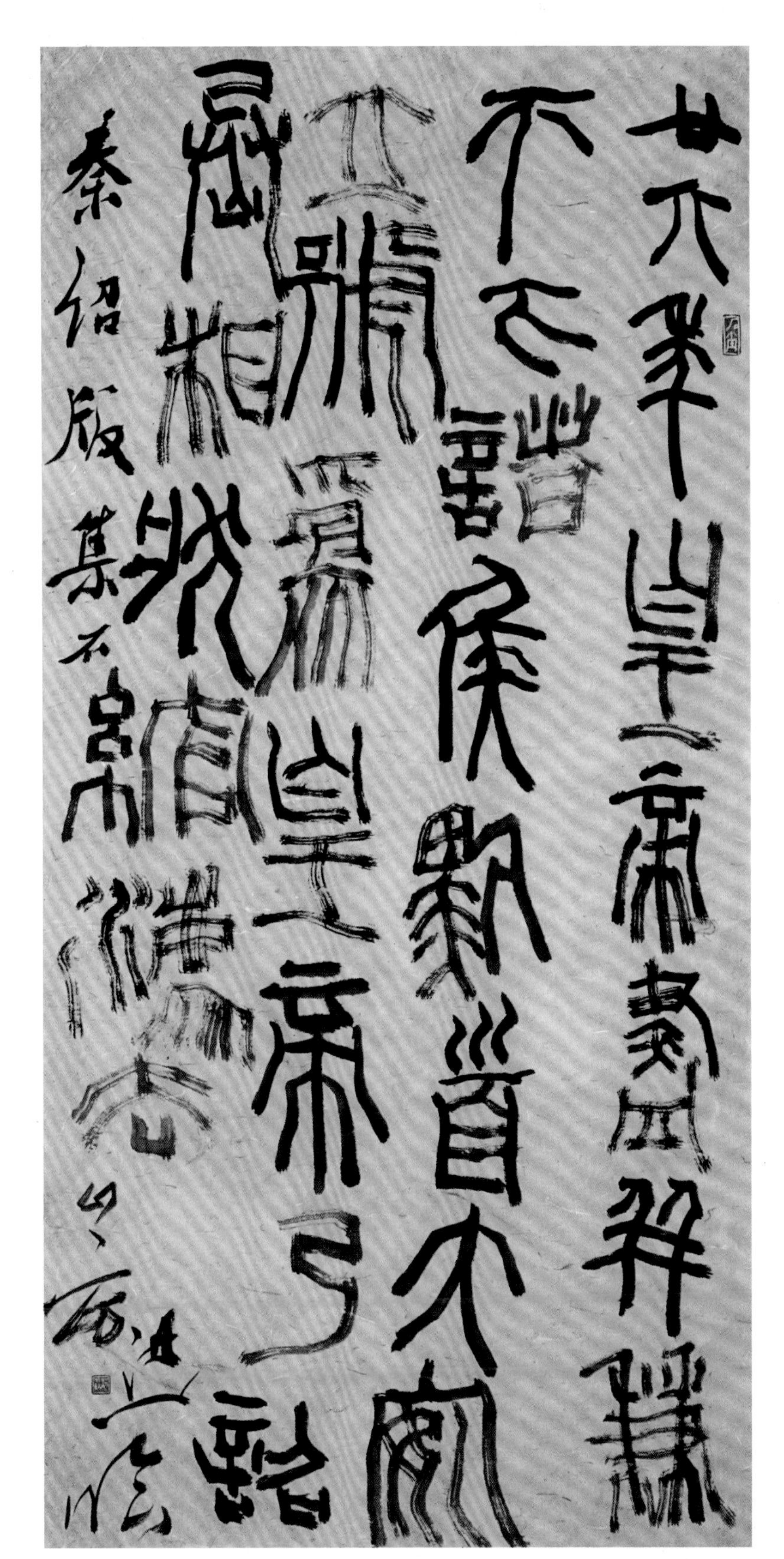

篆文 临秦绍版

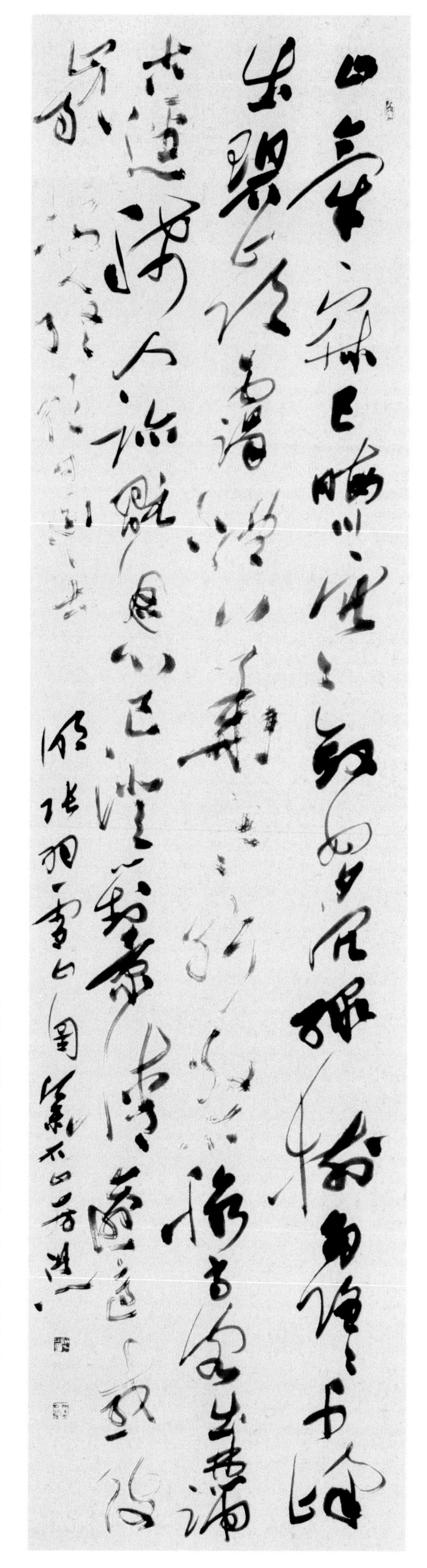

山气寂已晦，川寒敛如夕。沉（沉）绿树多，隐隐千峰出。碧岭霭烟华，寒泉散石脉。高阁出林端，古迳稀人迹。玩图心已澄，对景清逾适。感彼岩栖人，终朝自幽寂。

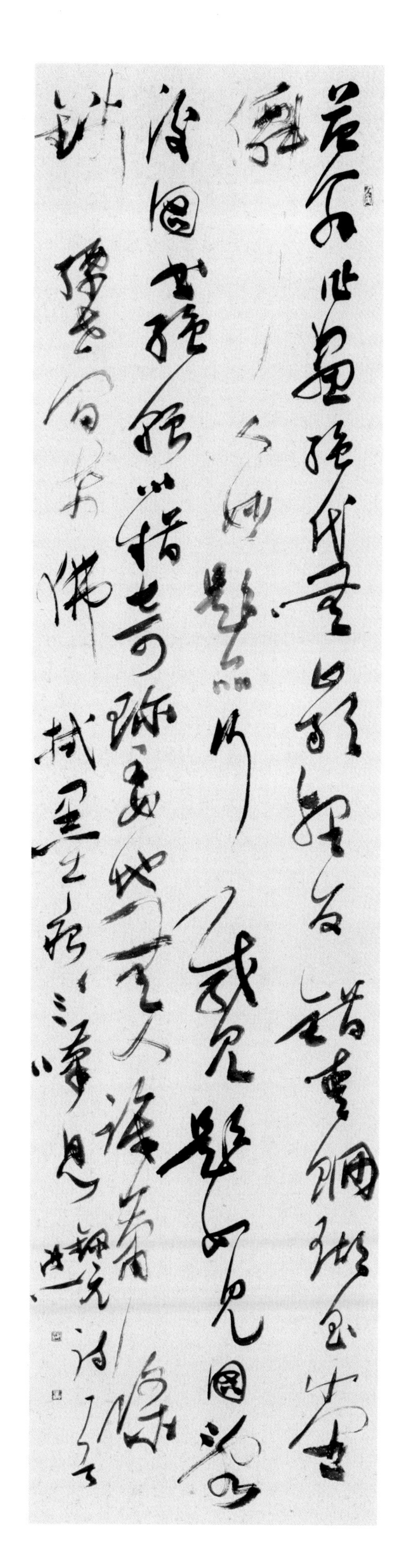

范翁作画绝代无，岩壑交错青珊瑚。
玉堂仙人妙题品，行载见题如见图。
乱后图书绝狼籍，奇珍委地无人识。
萧条锦縹世间希，拂拭墨痕三叹息。

微雨过溪上，青山草阁前。
牛羊知返径，童稚喜归船。
烟树村村鸟，春泉处处田。
披图忆芝阜，头白尚安眠。

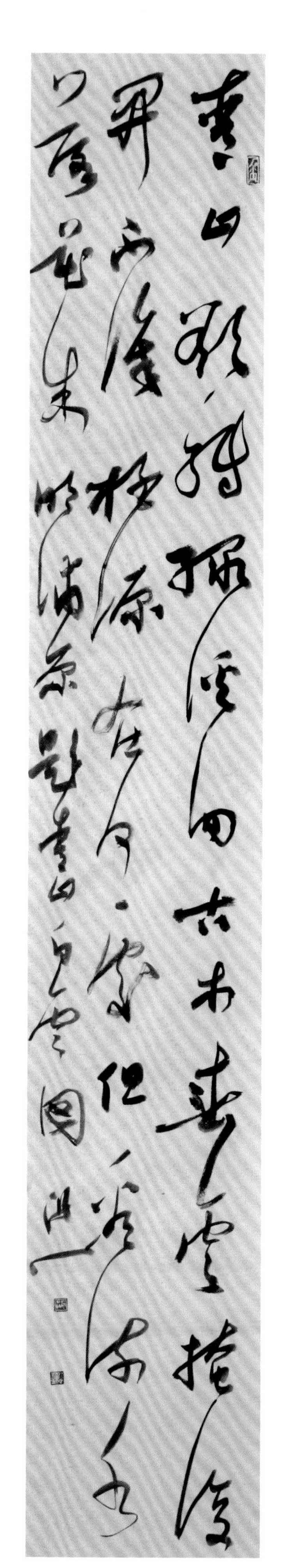

青山欲转绿溪回，古木春云掩复开。
不识桃源在何处，但看流水落花来。

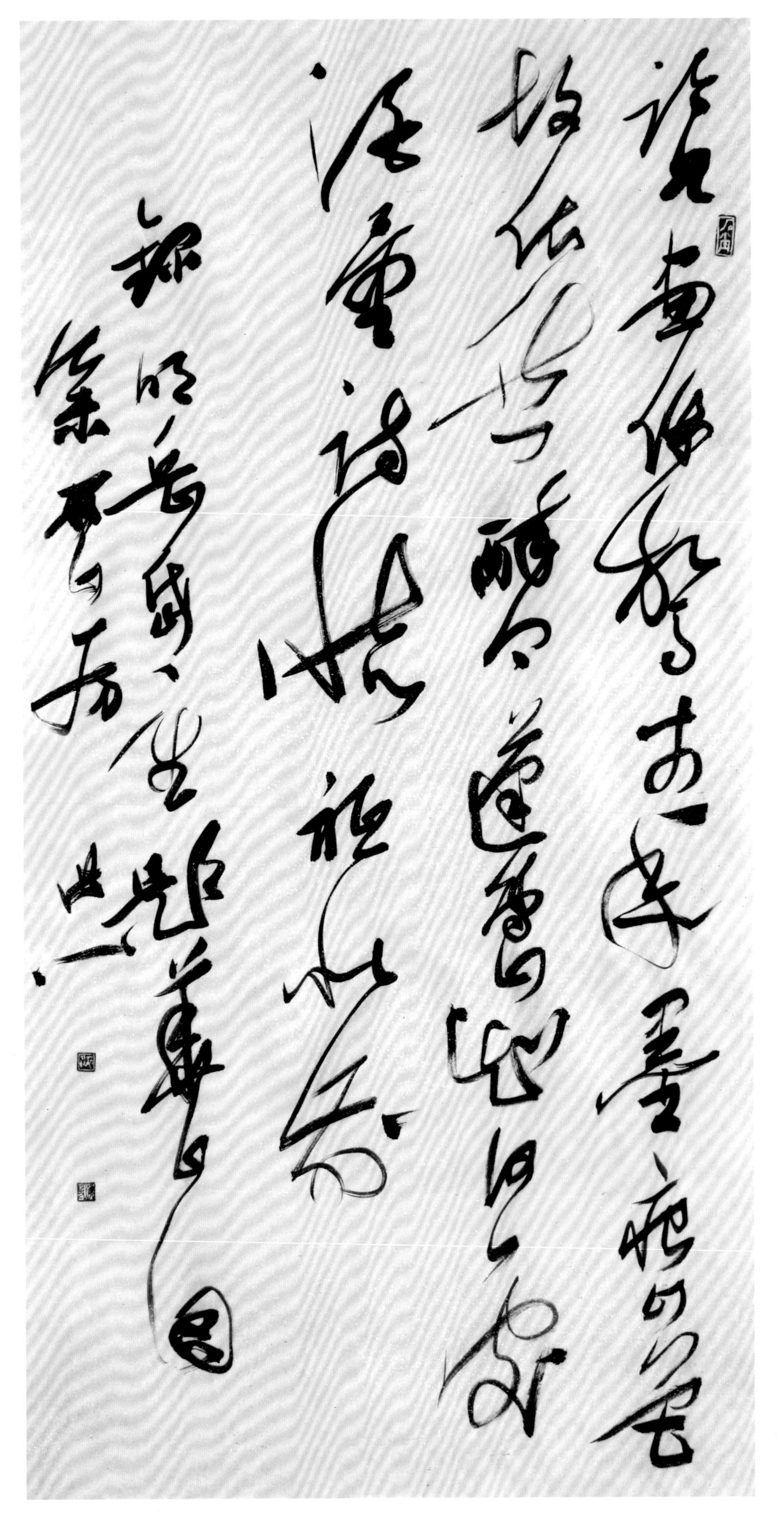

览画俄惊十四年，墨痕山色故依然。
醉乡蓬岛知何处？酒量诗怀只似前。

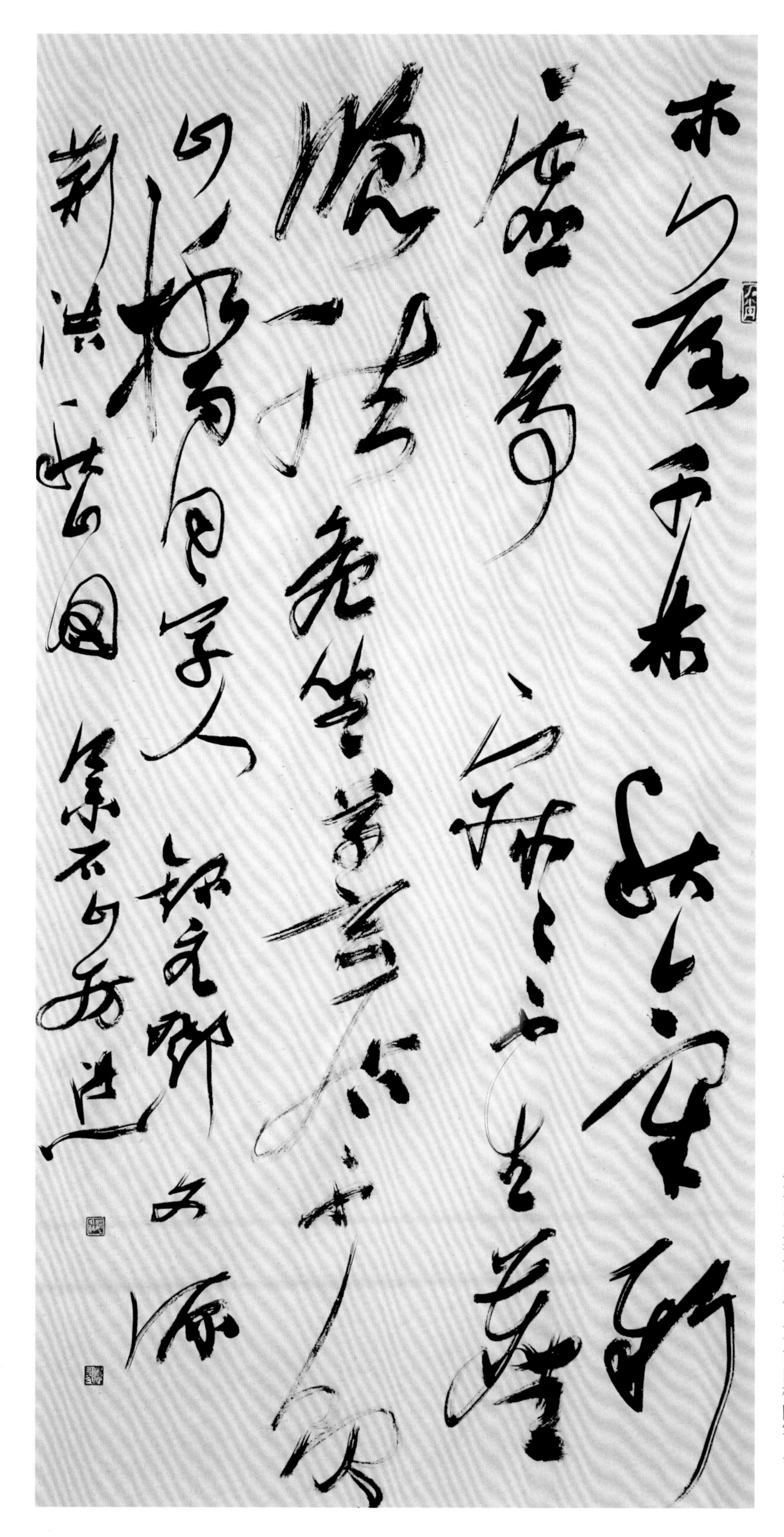

木落千林秋气新，虚亭寂寂不生尘。
悠然危坐草玄居，不负山桥问字人。

竹影随波动
诗情逐月来

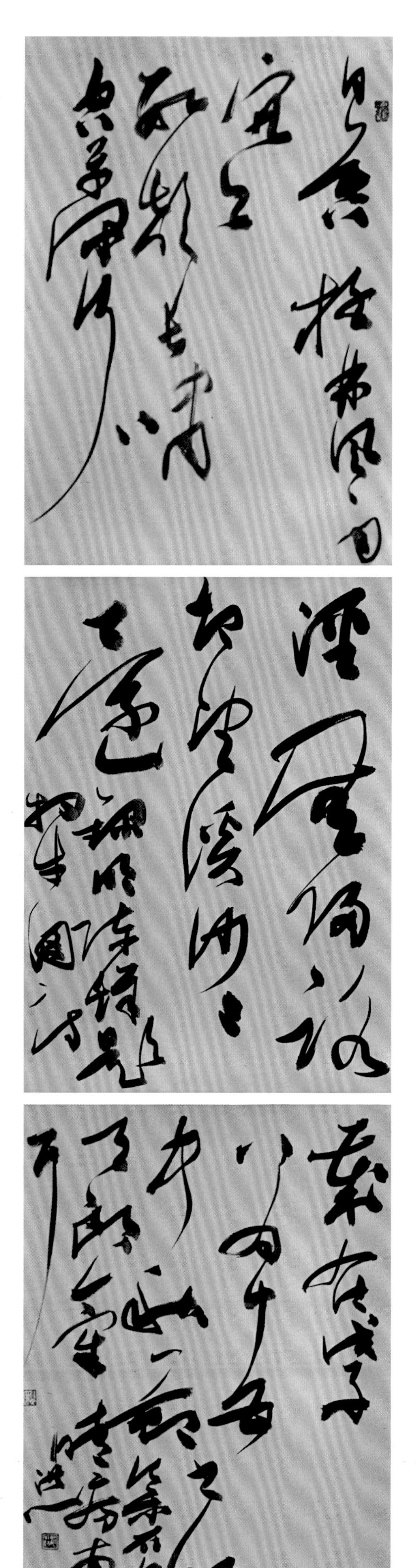

日暮桃林风雨寒，数声长啸（下）空（山）。草深行经无归路，却望（清）溪沙沙还。

二月黄鹂飞上林，春城紫禁晓阴阴。
长乐钟声花外尽，龙池柳色雨中深。
阳和不散穷途恨，霄汉常悬捧日心。
献赋十年犹未遇，羞将白发对华簪。

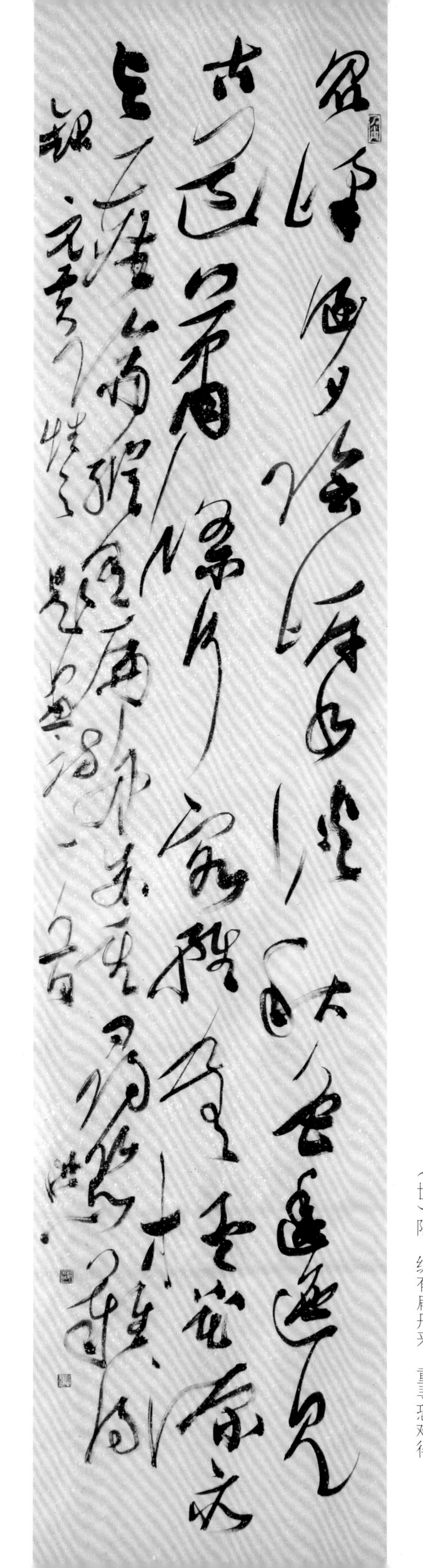

众峰涵夕阴，岸水淡秋色。透迤见古道，萧条（少）行客。虽无桃花源，亦与尘（世）隔。纵有扁舟来，重寻恐难得。

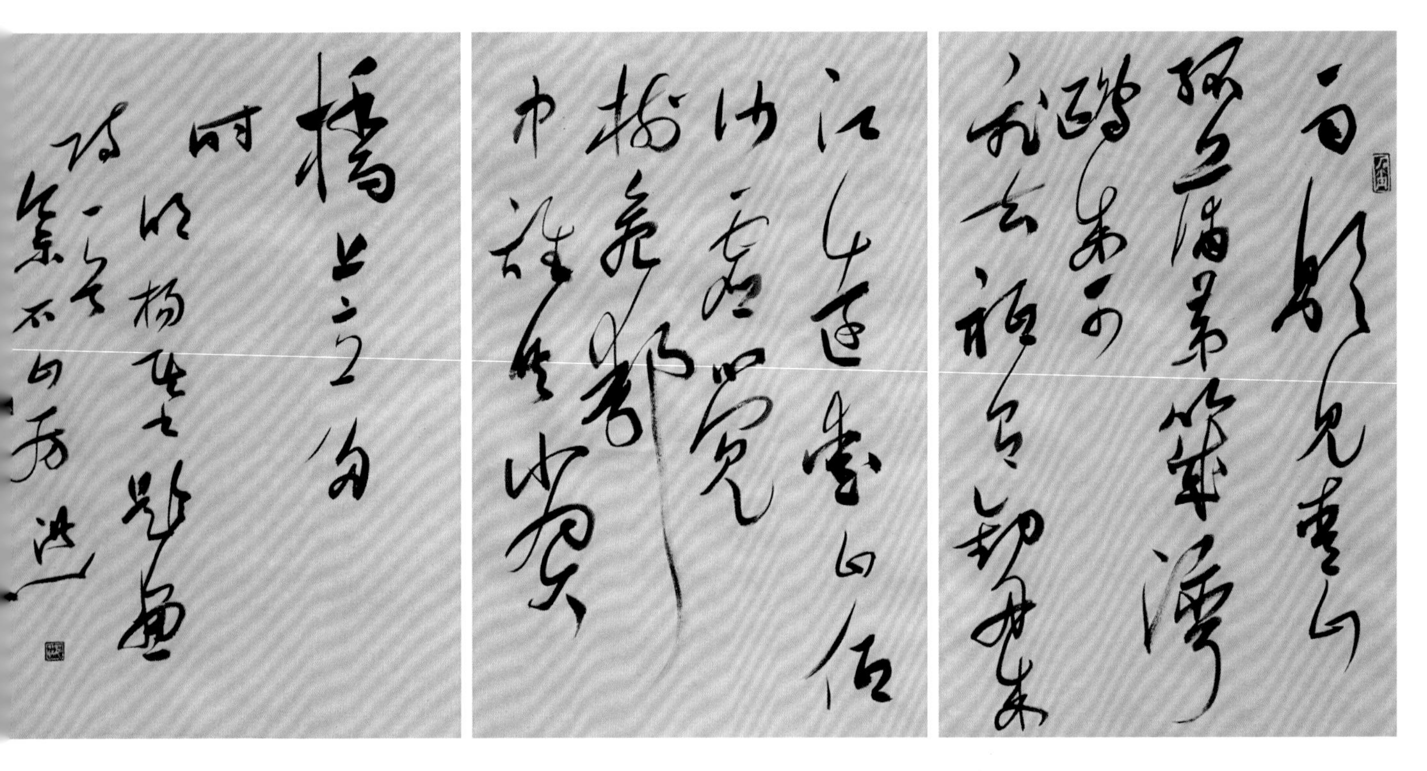

雨歇见青山，菰蒲第几湾。鸥来可飞去，只有钓舟来。
江远爱山低，沙虚觉树危。静中谁共赏？桥上立多时。

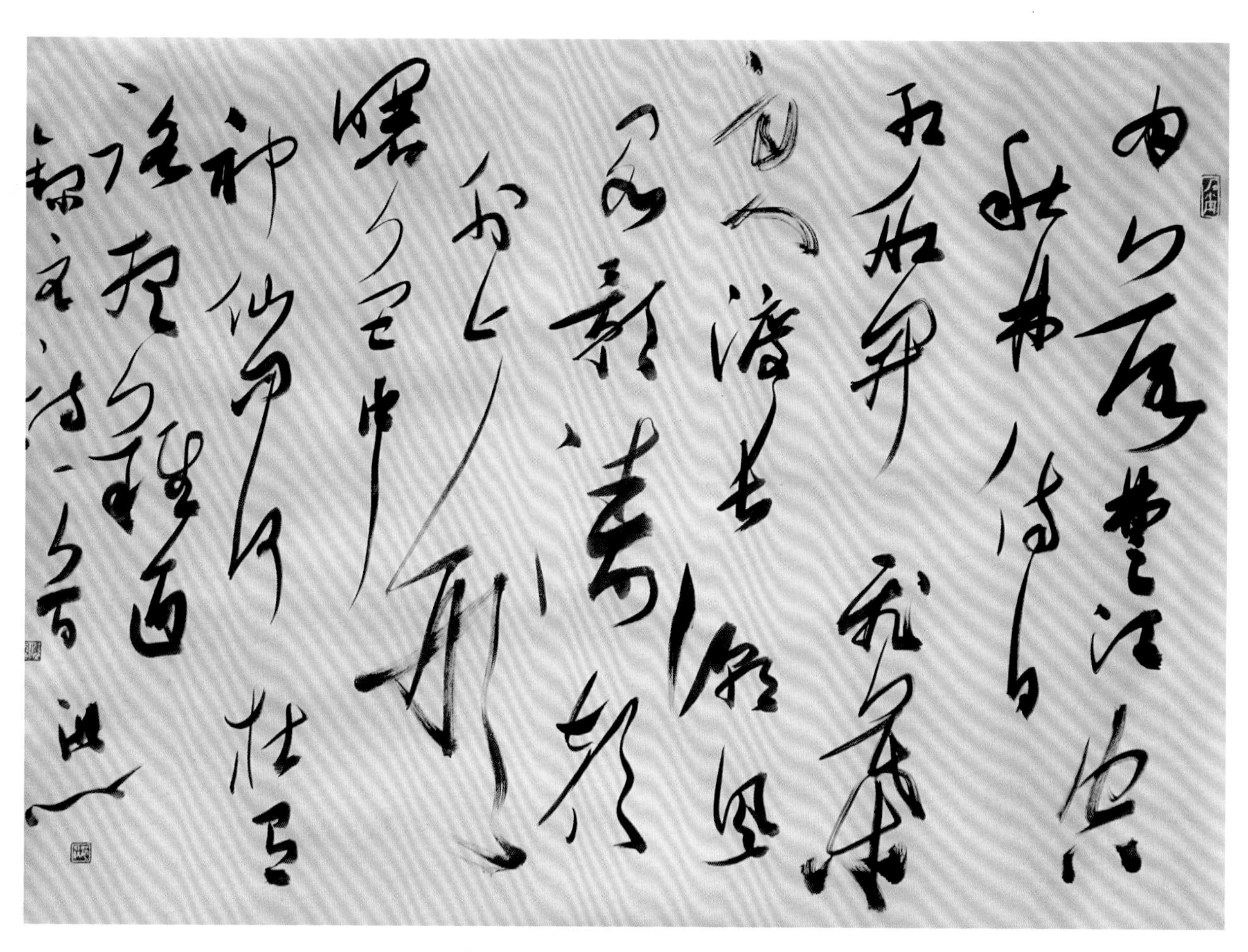

月落楚江空，秋林待日红。
船开飞叶雨，人渡长潮风。
阁影涛声外，山形曙色中。
神仙问何在，有路想难通。

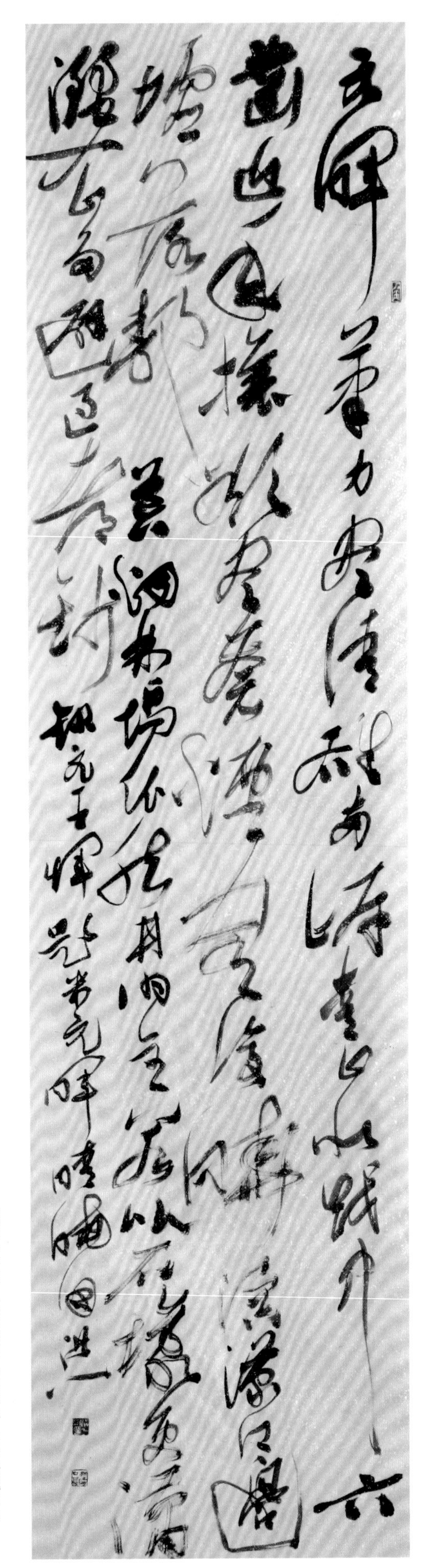

元晖笔力尽清雄，两岸青山似越中。
六凿近年攘欲尽，苍烟无复晓溟濛。
江边墟落静荒烟，林坞依然井臼全。
若比石壕更潇洒，入山多避过都钱。

水落白石现
天寒红叶稀

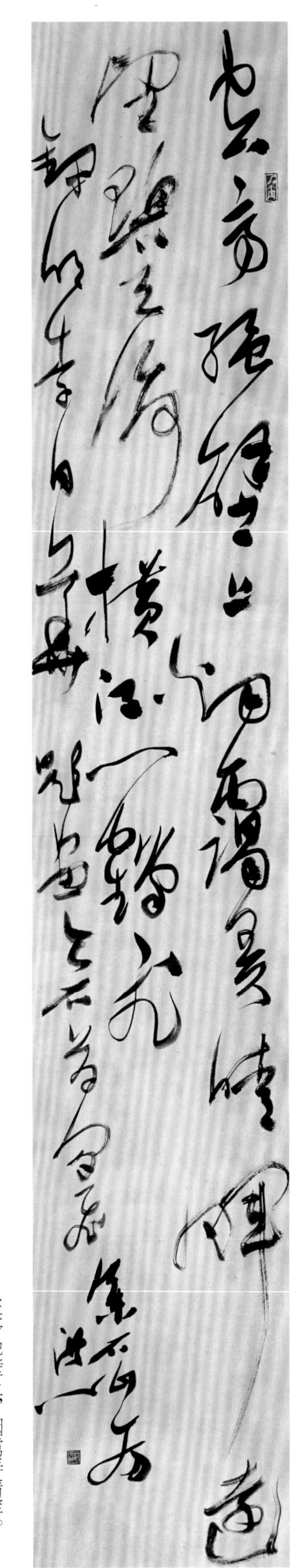

空亭绝壁上，烟霭弄晴晖。
远望碧天净，横江一鹤飞。

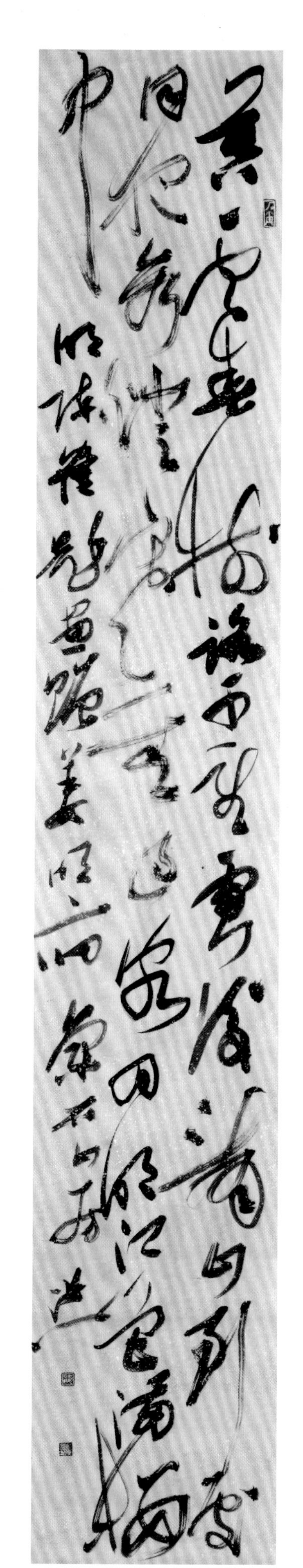

暮云春树路千重，雪后看山到处同。
夜永灯寒无过客，月明江色满楼中。

岩石云封道士家，
满溪青桂落寒花。
（山）童停帚那能扫，
也爱残香醉露华。

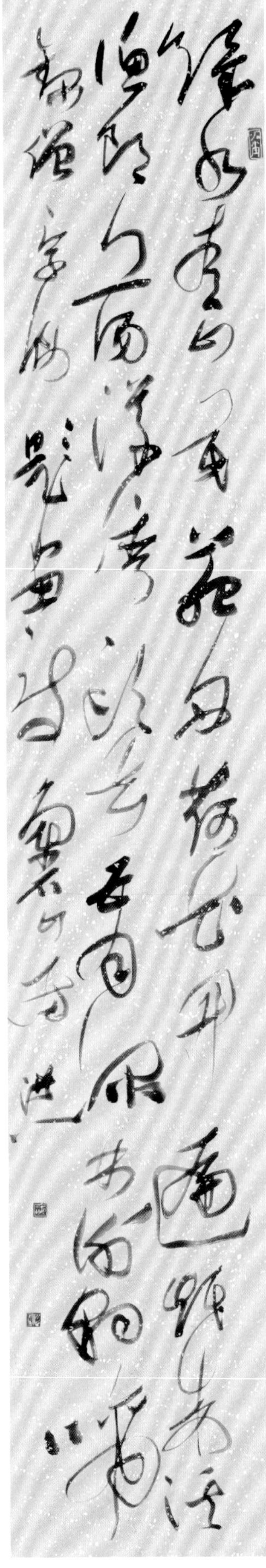

绿水青山茂苑西，
荷花开遍越来溪。
渔郎荡漾湾头去，
五月深林谢豹啼。

乱山两岸一江横，
烟雨蒙蒙雨乍晴。
钓艇自来还自去，
江风不动水禽鸣。

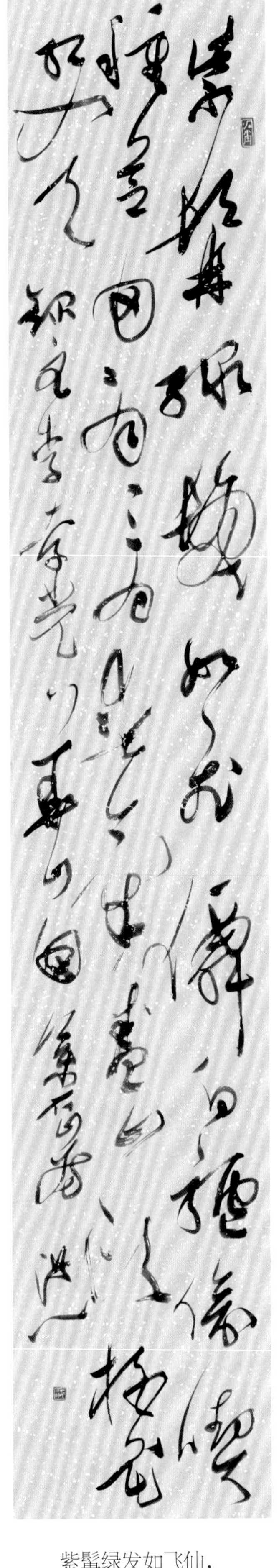

紫髯绿发如飞仙，
白驴偷吃种芝田。
二月三月春气盛，
山头桃花红入天。

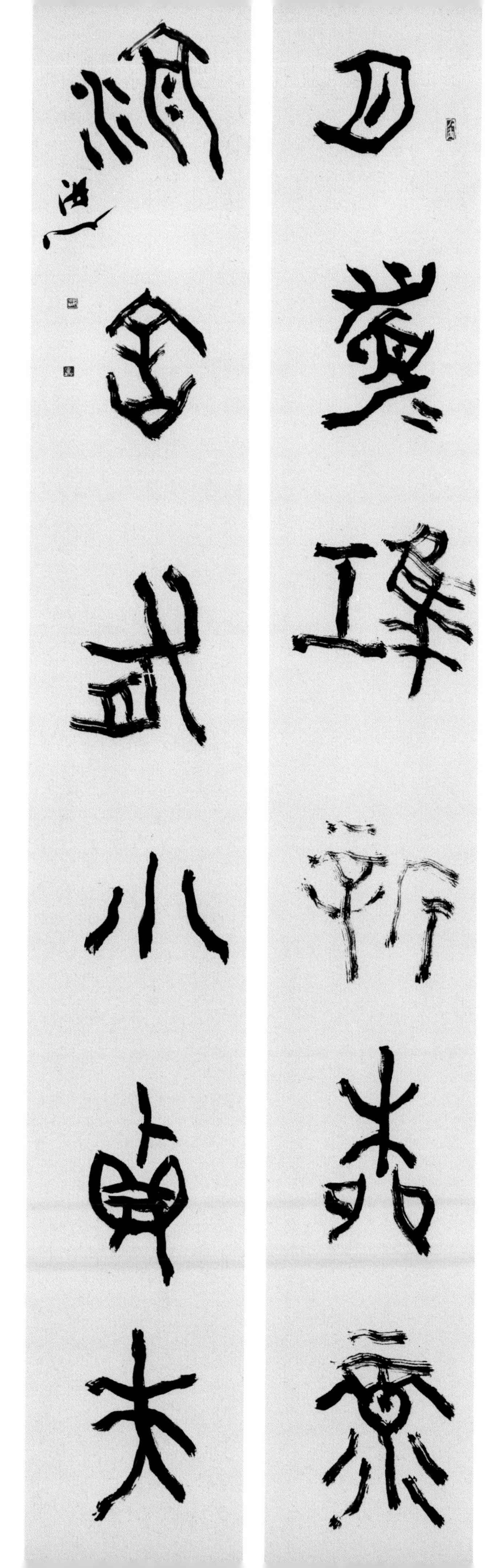

月眉堆新柳绿，
涼舍有小贞夫。

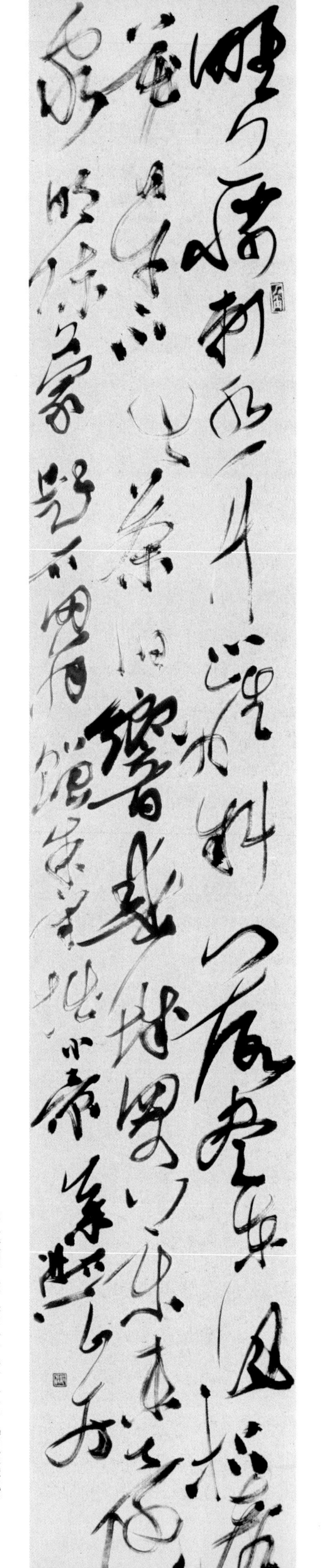

野藤刺水竹篱斜，落尽东风枳壳花。
日午不闻茶臼响，春城买药未还家。

落日冲翠壁
暮云点烟鬟

昨夜星辰昨夜风，画楼西畔桂堂东。
身无彩凤双飞翼，心有灵犀一点通。
隔座送钩春酒暖，分曹射覆蜡灯红。
嗟余听鼓应官去，走马兰台类转蓬。

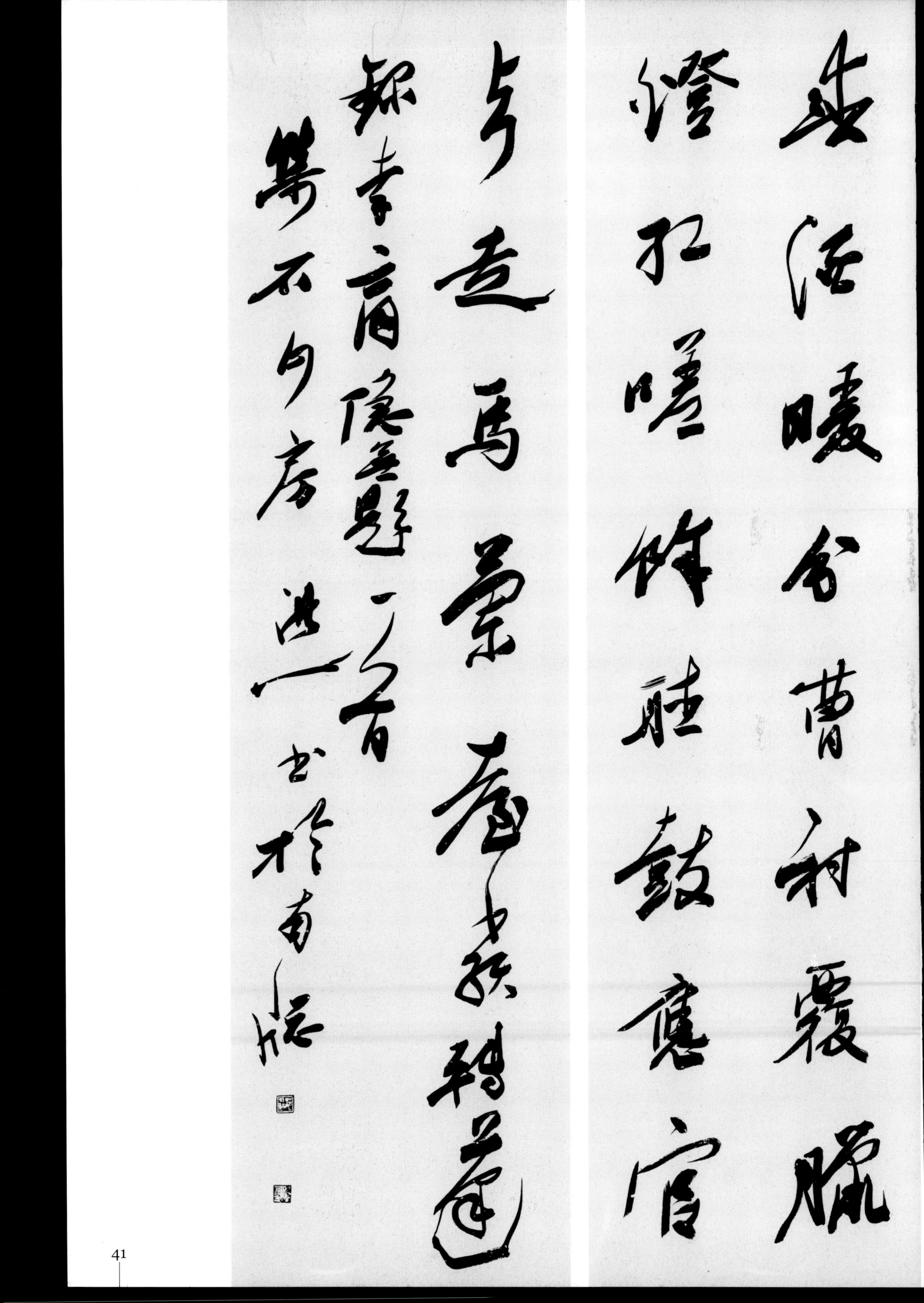

风清云静

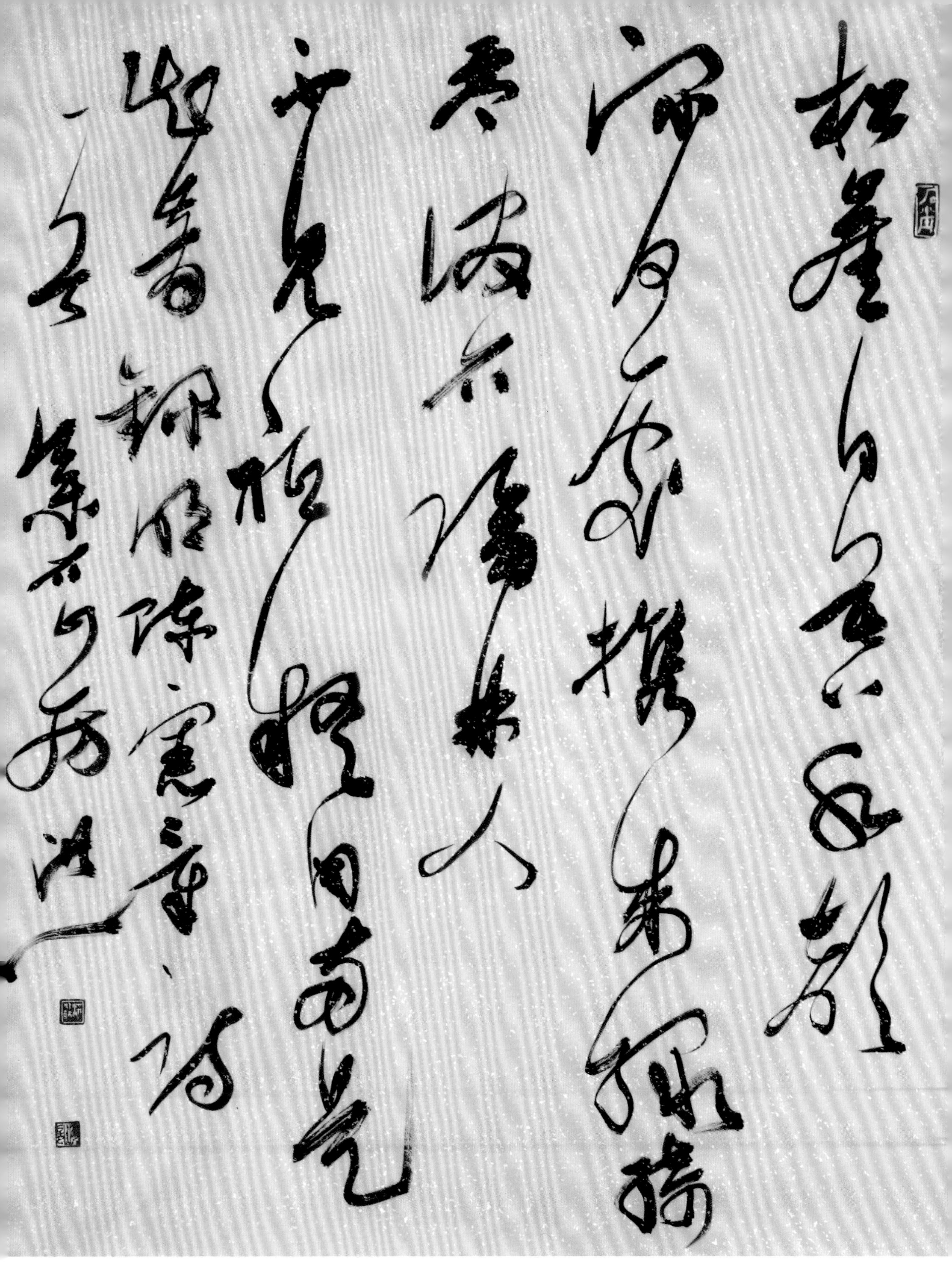

松崖日暮水声深，何处携来绿绮琴。
涧石隔林人不见，只疑罔两是知音。

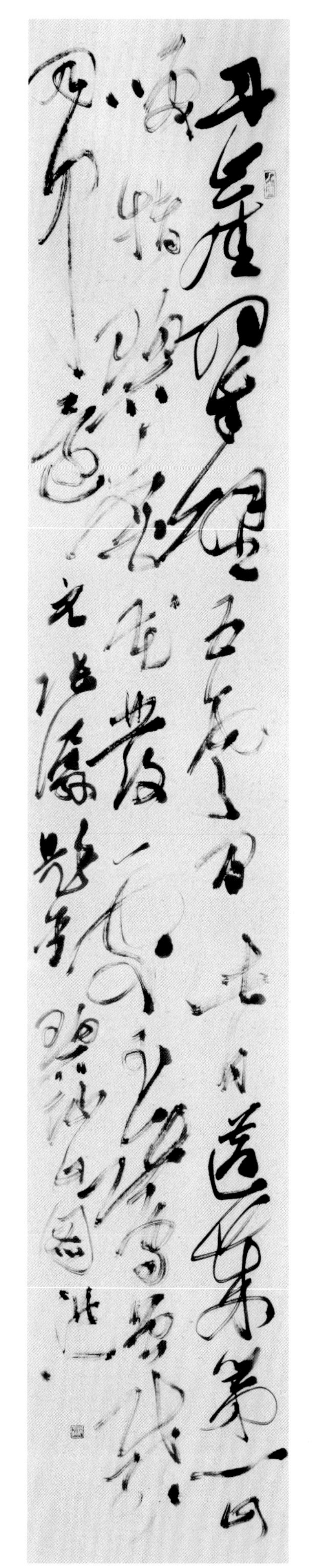

丹崖翠壁五云间，此日蓬莱第一山。
笑指碧桃花发处，玉鸾曾载月中还。

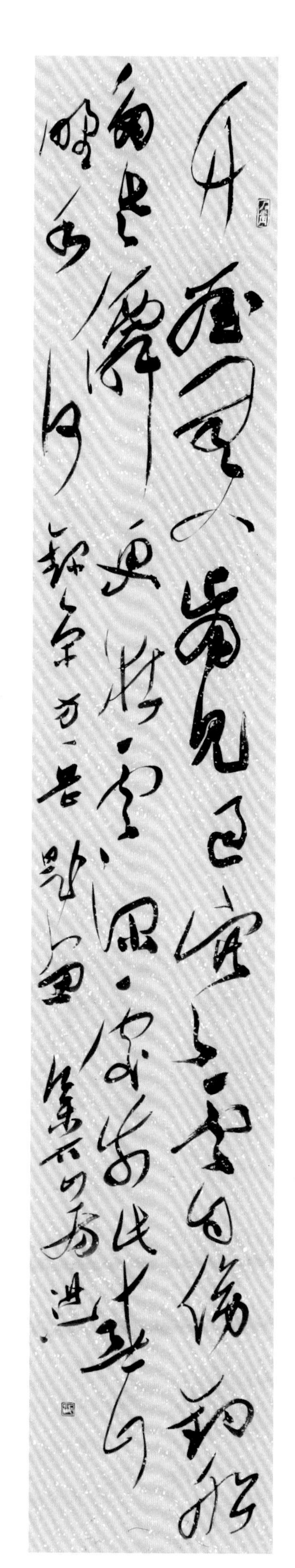

竹屋无人肯见过，寒云自傍钓船多。
老仙更在云深处，奈此春山野水何。

随处山泉著草衣，底须松竹掩柴扉。
天涯游子何曾出，画里孤帆未是归。
小西诸峰开山照，虎溪春寺入烟霏。
他年还向辰阳望，却忆题诗在翠微。

书声半窗月，花影一帘风。
墨研清露月，琴响碧天秋。
白沙留月色，绿竹助秋声。

黄昏急雨夜中收，起见华云吐月钩。
久立玲珑阶下影，树梢风过已鸣秋。

婴戏图

古墨似漆

万玉

秦砖汉瓦斋

洪一之印

三千大千世界

菊庐

妙得

敬制

鉴宝草屋

书印片言

李洪文

古人云：千里之行，始于足下。听大人讲：我出生时是一支脚先出来的，称之为『覆生』，命中注定要靠自己走路。

上中学时对『印花』发生了兴趣，逐收集剪帖了几本，偶尔用削铅笔刀在橡皮上尝试刻印的感觉。20世纪70年代末参加工作，篆刻的情结一直在脑海中涌动。几年后，再次萌生了操刀的念头。那时候，在大西北习字、刻印困难很多，其一，书店里没有能作范本的字帖和印章类的书籍；其二，学书的人少，活动也少，连印石也无从觅到，只好自找途径邮购图书、印石，沉迷于刻印的精神世界里，在刀与石的碰击中感受方寸之间的乾坤。

我以篆刻出道，继而习书前后已二十余年，做自己喜欢的事，随遇随缘，自然而生。少年时不吃青菜，不食肉，红糖拌米饭；现在蔬果、肉食样样少不了，西餐也习惯外加零食。身体如此所需为艺之道亦然，缺什么就补什么，先练心、后练眼、次练手。耐住寂寞，坚守信念，玩味、揣摩，合上时代的节奏，『智巧兼优，心手双畅』。

生活要建立自己的精神空间，既有『雅趣』，又有一份悠闲的情致与心绪。『明窗净几，笔砚纸墨，皆极精良，亦自是人生一乐』。余事把握案头物件，抱壶茗茶，种花观鱼，赏石盘玉，亲近自然，追忆远古，得静中之乐耳！